POEMS *Mostly in the Doric*

E WIND ON THE HILL

mes S. Wood

PUBLISHED BY

The Charles Murray Memorial Trust

JAMES S. WOOD

POEMS

Mostly in the Doric

THE WIND ON THE HILL

Edited with an introduction by
A. W. M. WHITELEY

PUBLISHED BY THE CHARLES MURRAY MEMORIAL TRUST

Printed in Coupar Angus by Culross the printers

Thanks and Acknowledgements

I would like to express my sincere thanks to the Charles Murray Trust who made possible the publication of this little book.

Thanks are also due to the 'Press and Journal' for permission to include a number of verses which have appeared in the North-East muse, and thanks to Archie Whiteley for editing and collating these verses.

I would like to express my gratitude to much-loved Cuthbert Graham wherever he is in the Elysian Fields for all his help and encouragement.

James S. Wood

DEDICATION
TO ANNIE

Printed for the Charles Murray Memorial Trust by William Culross & Sons Ltd.,
Coupar Angus, Perthshire, Scotland

Cover Design by Michael Wood

Introduction

Dr James S. Wood is well-known not only to the inhabitants of 'Aberdeen awa and twal mile roon' but to a far wider public because of his poems and sermons which have been published in the Aberdeen 'Press and Journal' for many years.

Born in Portnockie in 1908, he was educated at Fordyce Academy and Aberdeen University where he graduated with Honours in English. After studying Divinity at Christ's College, he was appointed to a Theological College in Jamaica, first as Tutor then as Principal. But thirled to the North-East he came back to be a minister at Insch for a short time, before becoming a Chaplain during the War years in the illustrious Mountain Battalion. After the War he was minister at Newtonmore from 1947 to 1953, when he was translated to the South Church, Aberdeen (now St. Marks), where he was minister for twenty years. In the latter years of his ministry there, the Degree of Doctor of Divinity was conferred upon him, the citation mentioning that in the South Church 'a devoted minister weds power of thought to beauty of speech.' Power of thought and beauty of speech, as well as the love for the ordinary country folk, the humour and the pathos of their lives, is very much evident in his poems. Most of them are in the Doric.

As Dr Wood says 'The wye folk speak roon Bennachie,
Is jist the very tongue for me.'

There's the lovely poem of Jeannie who 'winna feel at hame in Heaven' unless the Doric is spoken. She says: –

"Maybe the Lord will help me oot,
An' come and tak' me by the han' and say,
'Jeannie, you're welcome hame, come ben an' bide.
An' dinna fash aboot the wye ye speak,
It's rale hameower and I can unnerstan' "

The poem 'Spring' epitomises the freshness of the season and the restlessness it imbues in the human heart.

'Och, pit awa' yer books, my lass,
An' come ootbye wl' me.
The snaw-fite geans are a' in bloom,
The shinin' gowd is on the broom.
Lay doon your books, my bonnie lass
An' come awa' wi' me.'

When we come ootbye wi' James Wood, we experience not only the wind on the hill blowing on our face but

'The high lamenting violins of the gale
Come screaming through the intermittent hail.
A thousand trumpets their fierce fanfare blow
Rending the heavens above, the earths below.'

Then in contrast we hear the 'bourdon of the river, and the cheerful gaudeamus of the burn.'

Dr Wood's love of hills, particularly Bennachie, is very evident in the many poems he has written about the hill.

'O Bennachie, auld Bennachie,
Ye'll aye be dear tae me.
I lo'e ye mair than a' the hills
Baith here and owre the sea.'

He finishes by saying: –

'For hoo could ony feelin' man
Spend a' eternity,
Withoot a burn like Gadie Burn
An' a hill like Bennachie?'

Many of the poems are 'fun' poems – like the one about the shopkeeper who refused to sell his last pair o' 'pints' because he would have none left for his next customer; the Gordon 'feart to gang on leave' because of his scolding wife.

'But aye she'd win the battle
An' treat me like a cloot.
First she'd dicht the fleer wi' me
An' syne she'd wring me oot.'

Throughout these poems about nature, about the ongoings of the countryside, about pain and sleepless nights, throughout them all runs the golden thread of Dr Wood's belief in God. In writing of the three rocks, known as the 'Three Kings' at Cullen, he writes: –

'Three Kings have I, convictions deep and strong,
That have withstood the erosion of the years.
They will abide, whatever may go wrong,
And these are they, God is, God rules, God cares.'

And there's the verse from Paraphrase 48 that touches all our hearts

'For nae a thing in a' the warld
has ony pooer to sever
The Lord's ain bairnies fae his love,
We're in his han's foriver.'

I have quoted but a few of the sixty odd poems printed in this book. I hope I have whetted the appetite of readers so that they may indulge in the pleasure and satisfaction of the perusal of this admirable miscellany of poems, mostly in the Doric by Dr James S. Wood.

The Trustees of the Charles Murray Memorial Trust commend these poems of Dr Wood with every confidence. They feel they will have a very special appeal not only to our ain folk in the North-East of Scotland and the many students whom he taught at Aberdeen University but also to exiles across the seas.

A. W. M. Whiteley
Editor and Chairman of the
Charles Murray Memorial Trust.

Contents

THE WIND ON THE HILL

Ae rodden tree, a reeshle o' stanes
On the bare hillside,
A' that was left o' a craftie, fa'en doon langsyne.
But stannin' there in the quate forenicht,
Nae livin' sowl in sicht, I h'ard
Voices in the win'. An' suddently I saw
Fower or five bairnies playin' jingaring,
Lauchin' an' singin' as they birled aroon.
Little lammies h'ard I cryin' on the ley.
Afore my een a simple thackit bield
An' at the door, a weel-faurt buxom lass,
A littlin' on her back, row'd in a shawl.
Wyvin' she was, a whiskar roon her waist,
An' comin' in aboot, a strappin' chiel,
A spawd in's han', his day's darg deen.
The lassie smilet a welcome,
The bairnies ran to meet him,
An' syne the steeckit door shut them a' oot o' sicht.
A' at aince the vision vanished,
An' I was left my lane,
Me an' the rodden tree an' the tummelt stanes,
Wi' the snell win' blawin' ower the hill.

FINE DIV I MIND

Fine div I mind the bield faur first I saw
The licht o' day, abeen the hairber wa',
Far doon aneth the brae. Fine div I mind
The roarin' o' the sea, the nor-wast win'
Rattlin' the sklates an' soochin' roon the hoose.
The lang dark weenter nichts were wild an' coorse.
Fine div I mind the boaties comin' in,
Sair-made against an ugly gurly sea,
An' ane or twa that niver made the lan'.
I mind the blinds drawn doon for a' to see,
The greetin' weemen an' the silent men.
But fine I mind the happy days an' a'
The bonnie simmer days, the barfit days,
The dookin' in the hairber oor on end.
Hine awa' yon days are noo, an' lang forenichts
Wi' hardly ony gloamin'......Happy days!

I mind hoo kirk bells on the Sabbath rang.
We sat thegither in the Faimily place.
I mind the auld redemption hymns we sang.
I mind the auld minister's kindly face,
Though files I thocht his sermons far ower lang.
I mind, I mind a hunner thoosan ploys
That pleesured us sae much fin we were boys,
The years that since hae ebbit wi' the tide,
Swift years that slippit by an' widna bide.
I canna aye mind what I did last nicht,
But niver can forget the days lang oot o' sicht.

RELATIVITY

When I wis but a little lad,
A lamb within the fauld,
I thocht a man o' twenty five
Wis very very auld.
When I masel wis twenty-five
An' life wis fu' o' zest,
I thocht a man o' fifty five
A lang wye past his best.
When I masel wis fifty five
My mind wis fu' o' fear
O' some day bein' siventy,
I thocht the end wis near!
But noo that I masel have reached
The three score years an' ten,
I feel I've only clumb the peak
O' yet anither ben.
So noo I'm sure there's nae auld age,
Nor yet longeevity,
As wise auld Mr Einstein said,
There's only relateevity!

THE THREE KINGS

In Cullen Bay, as all the world must know,
Stand three tall rocks, the 'Three Kings' are they styled.
Through centuries of time, through ebb and flow,
Battered by wave and countless winters wild,
Yet still they stand unmoved, immovable,
Defying all assaults of wind and rain,
Through ages still to come, immutable.
Even as they are now, so will they remain.
Three kings have I, convictions deep and strong,
That have withstood the erosion of the years.
They will abide, whatever may go wrong,
And these are they, GOD IS, GOD RULES, GOD CARES.

PORTKNOCKIE REVISITED

Full many a tide had ebbed and flowed ere I
Revisited my village by the sea.
Gladly I found so much was still unchanged,
But sadly much that once was dear to me
Had vanished from the scene. The grey-green firth
Was still the same, and timelessly, the sun
In burnished splendour dipped below the hills
Of Scaraben and Morven, as in time gone.
The harbour, where to swim was ecstasy.
The rocks I'd fished from of in the days of yore,
The dusky caves once full of mystery,
The selfsame ripples on the selfsame shore,
The golden corn still wimpling in the wind,
The hills whose heathered slopes I'd often ranged,
The Kirk, the school, the houses trig and trim,
Were all as I remembered them, unchanged.
And yet so much had gone I loved so well,
The busy harbour now bereft of boats,
The skippers and the crewmen I had known,
The cheery lassies busy at the farlins,
The drifters freighted with the 'silver darlin's,'
The little groups of aging fishermen,
Recalling on the braehead, days of old,
When ships were ships, and men were really men,
And many a merry tale they told.
Gone are they all, the couthy, kindly folk,
And here I stand, a generation after,
Where all that now remains are echoings
Of songs and voices and remembered laughter.
So now I know that what we value most
Are not the things recalled, nor yet the places,
But just the folk we knew and dearly loved,
The outstretched hands, the old familiar faces.

WHERE ARE THEY NOW?

Where are they, all the bonnie boats of yore
That reaped the silver harvest of our seas,
Their great brown billowing sails bent to the will
Of boisterous winds, and their disdainful prows
Scything a path through unresisting waves.
Where are they now, brave boats whose very names
Are lovely to recall? Where now the Glide,
The Paragon the Paradigm, the Dash,
The Daring and the Gleam of Hope? Where now
The Prince of Joy, the Charm, the Sparkling Star?

Unrivalled beauties in their day, all crewed
By strong Godfearing men, who sought no fame,
Their only aim to earn a livelihood
For wives and bairns. Where now the Pilot Me,
The Breadwinner, Sublime and Smiling Morn,
The Rose of Sharon and the Flower o' May,
The Crystal River and the Lustre Gem,
All graceful as the swift winged phalarope,
Swanlike in calm, dreadnoughts before the gale.
Where now the Diadem, the Evangeline,
The Monarch of the Tide, the Bonnie Lass?
Their names recorded only in a few
Old dust almanacs that lie unread
On dusty office shelves. Bold boats they were
With bonnie names and lovely lissome lines.
Where are they now? All bound may hap for some
Celestial shore, leading all the rest
The Faith, the Guiding Light, the Welcome home.

Note: These are the names of boats that sailed out from the fishing ports of the Moray Firth in the past hundred years.

PARADISE

'What's your idea of heaven?' the minister
To a country lad did say.
'Cream on my porridge' he replied
'An' swing on a gate a' day.'
But sea and shore were heaven to me
All through the bonnie summer days,
Without the shadow of a care.
The rocks my rugged playground were.
My playmates all were fisher boys.
The harbour with its hundred boats.
The scene was of a hundred ploys.
Time was, with father at the helm
I'd sail through summer sunset seas,
With a freight of shining mackerel
Before a gentle summer breeze.
So, if in that far heavenly land
'There shall be no more sea'
I fear, my friends, that it will not
Be Paradise for me.

Footnote: Paradise is the name of a wooded area at Monymusk near Bennachie.

THE FISHERS

'Hiv ye heard yet, Willie man,
Aboot the fish I lost the streen?
A muckle salmon, five feet lang,
The biggest I hiv iver seen.'

'Na, certies Jock, that wis a sicht!
A peety that ye lost 'im though.
But heard ye fit I catched last nicht,
In the burnie doon alow?

A lantern, Jock! An fit think ye?
The can'le in't wis bleezin!'
'Come on noo Willie, that's a lee.
Ye've surely tint yer reason.'

'Weel, Jockie lad, I'll tell ye fit,
Lat's jist pit things tae richt
Tak fower fit aff the fish ye lost,
An I'll blae oot ma licht!'

ANCESTRY

I thocht I'd trace my ancestry,
An' mony an oor I spent
In kirkyairds an' in registrars,
Read mony a document,
Certificates o' birth an' death,
An' census lists an' a'
A lang lang job it surely was
To fin' oot fa was fa.
Far doon dim corridors o' time,
Three hunner year or mair,
Ancestral ghaists cam floatin' by
An' vanished in the air.
But niver aince cam I across
Ane o' the famous kin',
Nae painters, poets or generals,
Nor yet a lady fine.
My forbears a' were workin' fowk,
A' fishermen an' soutars,
Mair or less respectable
Except for some freebooters.

Their names were ordinary names,
Weelum, Sandy, Jamie,
Peter, Jean an' Mary Ann,
Johnnie, Margit, Phemie.
But ae gran' thing I did fin' oot,
Amang a lot o' things,
Common ye think me? Nae a bit,
My forbears a' were KINGS.

Footnote: In all nor'east fishing villages, 'tee names' were added to surnames to distinguish one family from another. The Tee-name of the writer's family was KING.

TEMPUS FUGIT

Time fairly rins waw' fae's, man.
For the faister we rin
The mair we're ahin,
Sin' time gangs the ither wye,
Aye, time gangs the ither wye.

Ye jist canna stan' still,
For time winna lat ye.
It aye maun be at ye,
For Times aye at yer back,
Aye, time's aye at yer back.

Is there plenty time forrit?
Na, the meenit in han'
Flees ahin' ye my man.
Ye canna haud on till'it,
Na, ye canna haud on till't.

Time, ye auld vratch,
Wad the warld gang agley
If ye'd jist bide a wee?
But time disna listen,
Na, time disna listen.

Ach, Time's aye in a hurry,
He jist winna bide
For win' or for tide.
So, it's nae eese yer speerin',
Na, it's nae eese yer speerin'.

So, mak' Time yer freen, man.
Mak' ye the best o't
An' leave a' the rest o't,
In the han's o' Him that made it, man,
In the han's o' Him that made it, man.

PRIORITIES

As I lay waukent, jist the ither nicht,
I thocht that I'dt pit a' wrong things t' richt,
The warld was a' in sic a sorry state,
That I maun sort it oot at ony rate.
So I vrocht oot a plan, a' o' my ain,
To set this birlin' earth on coorse again.
The parliaments o' ivery lan' wad meet,
An' iverything wad work oot jist a treat.
They'd ootla' wars an' strikes, shak' han's a' roon,
An' pairt wi smiles, withoot a singl' froon.
An' so at brakfast time, I telt my wife
O' my braw plan to pit an' ine tae strife,
To mak men freens, aye, a' the hale warld ower,
To mend a' broken things within man's poo'er.
'Ye'd sort a warld that's oot o' gear' she said
'It's easy deein that fin ye're in bed.
But will ye sort some things aboot the hoose
The tap that's dreepin' an' the screw that's loose
Inside the hoover, aye, an' clear the drain
That's chokit up finiver there is rain?
An' ye'd mak freens o' men in ivery lan'.
But what aboot the buddies near at han'?
Ye hinna said a wird tae Wildie for a year.
Is nae your ain life Johnnie, oot o' gear?'
Says I 'You weemen fowk are a' the same.
Ye canna see ootside your hoose an' hame.'
An' so, it seems, this peer auld warld maun wait,
For Johnnie's plan, at some gey distant date.

THE BLACKBIRD

Even now I walk dark corridors of pain
And hopeful, look for any signs of light.
I strive and strive to sleep but all in vain,
I dread the slow and countless hours of night.
Philosophising comforts not the mind,
Not even fervent prayer can pierce the dark.
I cannot break the manacles that bind
And hold my body in this dungeon stark.
But just before the dawn did break this morn,
Out of the fearsome night a wondrous thing
Thrilled my embattled soul forlorn,
I heard, O blessed sound, a blackbird sing.
I wonder will that blackbird ever know,
Even if he never sings that song again,
How, heaven-sent, that healing sound did flow
To bring fresh hope to one poor prisoner of pain?

CURE FOR INSOMNIA

For five lang nichts I couldna fa' asleeep.
I maun hae coontit fifty thoosan' sheep,
But aye they kept on comin' thro the nicht,
An' still were flockin', e'en tae mornin' licht.
Noo, it jist happened I was weel acquaint
Wi' an auld body, some wad ca' a saint.
I telt her fit my trouble was. She said
'Noo, fin ye're lyin' waukent in your bed,
Dinna waste your time man, coontin' sheep.
Speak tae the Shepherd. A wird wi' Him my loon,
An' seen ye will be sleepin', soun' an' roun'.
The Good Book says He will His promise keep,
To gie to His beloved bairnies, sleep.'
Iver sin' than, I've proved that body richt,
For noo I niver have a sleepless nicht.

THE VISION

Slowly I edged along the ridge that edged
To Suilven's summit. There I stood alone
In wind-whirled mist and cloud as dark as doom.
The world, if world there was, lay hid below,
The sky, if sky there was, concealed above.
An awesome silence wrapped me all around.
No living thing was seen, no sound of life
Was heard. And surely thus it must have been
Ere God from chaos order did create.
And in that awful solitude I was
Afraid. For had I trespassed beyond time
Into a timeless sphere forbidden to man?
Then suddenly, but for the briefest space,
A window in the mist appeared. I glimpsed
Blue islands shimmering on a sapphire sea,
Saw sunlit sails against a sun-bright sky.
No more. The window closed. The curtain fell.
But I had seen the vision and was cheered,
For now I knew that beauty, warmth and light
Dread darkness may obscure, but not destroy.
And glad I left that solitary place
And sang my way back to the haunts of men.

POETRY OF MOTION

In the clear eminence of mountain air
I stood alone upon the world's blue rim.
The encircling peaks, white-surpliced, silently
Presided o'er the sacramental scene.
Reluctantly, I turned my ski-shod feet
Toward the common world whence I had come,
And launched myself, as if on eagle's wings,
Adown the breathless, scintillating slope
Of perfect powder snow, immaculate,
In ecstasy of speed, precipitate,
Swathing through the swishing, singing snow,
An unsung exultation in my heart.
Two swift turns, and clouds of sparkling crystals,
Then one unbroken, suicidal schuss,
And suddenly, too soon, the level ground.
Upward I gazed where short before I stood
And traced my shining tracks from heaven to earth.
No poet I, but I that day had writ
Upon a virgin manuscript of snow
A sonnet that was mine, and mine alone.

FAREWELL TO THE HEIGHTS

I skied, alone, from high on Carn Ban,
To the top of Sgoran Dubh.
The white world was immaculate,
The sky a heavenly blue.

Before my eyes rose Angel Peak,
All shimmering in the sun,
Adown its scintillating slopes
I've had many a thrilling run.

A panoramic sweep I make,
And visible afar,
The battlements and ramparts bold
Of majestic Lochnagar.

Macdhui and Cairngorm stand there,
Both to my nearer view,
Old friends in tranquil days and storm,
Across the Lairig Ghru.

I, on the world's blue edge, descry
Tall white cathedral spires
And think I hear faint voices
Of ghostly mountain choirs.

Alas, my climbing days are done.
I'll scale the heights no more.
Only in dreams I'll stand again
On BYNACK AND BEN Mhor.

So fare you well, old Ben a Bhuirdh,
And fare you well Ben A'an.
I leave you now to younger men.
My sunset is their dawn.

Hills of my youth I only hope
That in yon place above,
I'll find hills just as friendly,
As these dear hills I love.

PSALM 139 Verses 5 to 12

The Lord's afore me and ahin,
Whaure'r I gang He's sure tae be.
His wyes I canna unnerstan',
They're a' ower wunnerfu' for me.

Whaur shall I fae His speerit flee,
Whaur fae His presence win awa'?
Heich i' the hivens? Na, He's there.
Deep doon in hell? He's there an' a'.

Could I but tak' the mornin's wings,
Tae some quate place far ower the sea,
Aye, even there I ken fu' weel,
He'll lay His guidin' han' on me.

Were I tae think the midnicht dark
Wad surely hide me fae His sicht,
The midnicht wad be bricht as day,
An' dark itsel wad turn tae licht.

Na, darkness has nae hidy-hole,
Nae secret place hooiver dim,
Gang whaur ye may, for licht an' mirk
Are baith the very same tae Him.

POSTSCRIPT TO CREATION

The first sax documentit days were past.
The great Creator's wark was deen at last.
It's sair wark makin' a'thing oot o' nocht.
'I'll tak' it easy for a day,' He thocht.
Syne ere the saxt day's licht began to fade,
He lookit doon on a' that He had made
An' saw that it was good. Noo, surely this is
Fit ony man can read in Genesis.
But here's a secret, niver oot till noo.
The siventh day cam', an lookin' ower the view,
'I'm nae quite satisfied wi' a' I've deen'
The Maker mused. 'Noo something quite supreme
I maun create, a little Paradise below,
An' nae far fae't, a heavenly hill.' And lo!
They're there for a' mankind to see,
The earthly Paradise......and Bennachie!

BENNACHIE

O Bennachie, auld Bennachie,
Ye'll aye be dear to me.
I l'oe ye mair than a' the hills
Baith here an' ower the sea.
I've climbed your slopes in early spring,
When green the larick tree.
I've waded thro your heather deep,
The laverock singin' hie.

I've ta'en the lassie that I lo'e
Alang your windin' ways,
An' niver nearer been to heaven
Than on that day o' days.
My bairns upon my back I've borne
Richt to your summit hie,
An' showed them a' the warld atween
Your ramparts an' the sea.

When mantled deep in glistenin' snaw
I've skimmed your slopes on ski,
Glissadin' doon your corries steep
Wi' hairt sae fu' o' glee.
O man, I widna like to think
That in the far Countree
There widna be nae burns nor hills
Wi' heather on the lea.
For hoo could ony feelin' man
Spend a' eternity,
Withoot a burn like Gadie burn
An' a hill like Bennachie?

A PRAYER

There's mony a higher mountain
In lands across the sea,
But nane sae near to Paradise
As bonnie Bennachie.

When in that ither Paradise
Some day I hope to be,
I pray the Lord that lookin' doon
I'll still see Bennachie.

I pray the Lord I still may hear
The muir-cock up on hie,
The faisin's and the pairtrick's cry
Fae the hill o' Bennachie.

In heaven I winna feel at hame,
Hooiver grand it be,
If it be na within heather-scent
O' the hill o' Bennachie.

THE GARIOCH TONGUE

Though ither dialects nae doot are braw,
The Garioch tongue's the richets o' them a'.
Ae day at Oyne, I speert a country chiel
The best wye tae Blairdaff. 'I ken it weel'
He said. 'Turn richt at Rabbit Neuk. 'Or lang
The road gangs wamplin' weemplin' wamplin' Sang!
Gin ye haud straucht on syne, ye'll nae ging wrang.'
Ae weenter's day as I drove through the Glen,
I pickit up a lad I didna ken.
'Has it been snawin' lang, my loon?' I says.
'Aye dingin' on for three fower days,
An' niver dachelt or divalt' he says.
Aince at the hairst, auld Jimmie said to me
'Jist open yer een my bonnie lad, an see,
Withoot my gein ony reasons,
Jist hoo to bigg a ruck fae foon to eisins'
To a sonsie Garioch lass I said 'Nae doot
Y've got a lad.' 'Na, but I'm lookin' oot'
She said. Och aye, the wye fowk speak roon Bennachie
Is jist the very tongue that's richt for me.

CAIRNGORM SYMPHONY

Beethoven, Mozart, Mahler, Bach and Brahms,
All have the power to move with spells and charms,
But give to me, for elemental thrills,
The unscored orchestration of the hills.

High in the auditorium of the peaks,
On any boisterous day, for him who seeks,
The unseen minstrels of the storm will play
A wild and weird and wondrous symphony.

Fierce Greig-like chords will tear the mists asunder,
Answered by a roll on drums of thunder.
And momently, all other sounds outdinned
By the multi-manualled organ of the wind.

Deep in the void great unseen cymbals clash,
And from the crags their instant echoes crash.
The tempest-tempo now accelerates,
The very universe itself vibrates.

The high lamenting violins of the gale,
Come screaming through the intermittent hail.
A thousand trumpets their fierce fanfare blow,
Rending the heavens above, the earth below.

Then suddenly, the savage symphony is still,
And silken silence lies on every hill.
The hidden world once more comes into view.
Aloft, a lark is singing in the blue.

And faint and far away, the sounds of home
Reach the lone listener in his mountain dome,
A barking dog, the throbbing of a plane,
And the dull rhythm of a distant train.

Then, as he wends his way to lower ground,
He hears a quiet, serene harmonious sound,
The bourdon of the river, and where'er he turns,
The cheerful gaudeamus of the burns.

THE GORDON WRITING FROM THE FRONT

I've jinet up as a Gordon,
At hame I couldna bide,
For a' the fechtin' I had deen
Was at my ain fireside.
For Meg wid sae the ae thing
An' I wid sae the tither,
An' then, of coorse, we'd baith fa' tee,
An' syne fa' oot wi' ither.
But aye she'd win the battle
An' treat me like a cloot.
First she'd dicht the fleer wi' me,
An' syne she'd wring me oot.
So I've jinet to be a sodger,
For at hame I couldna bide.
But noo that I'm a Gordon
I'll be on the winnin' side.
Jist ae mair thing tho I maun say,
An' ask ye to believe,
Wi' a' the courage I've got here,
I'm feart to gang on leave!

PRAYER BEFORE BATTLE

We're gaun tae hae a fecht the morn,
The first that I'll hae focht.
Noo I maun offer up a prayer
Syne niver gi't a thocht.
Lord, dinna fecht on oor side,
An' dinna fecht on theirs.
Jist stan' oot ower fae baith o's
An' watch hoo a'thing fares.
If Ye dee fit I ask Ye, Lord,
An' dinna gie a docken,
I'se war'n Ye'll see as fine a fecht
As iver Ye saw fochen.
So, if Ye'd really please me Lord,
Jist grant me what I speer,
Look doon, O Lord, if that's Your will,
But dinna interfere.

AMEN

FIRST FLIGHT

Dread of th'unknown I knew that day,
For I had never flown in peace or war.
A force nine gale was what the forecast said,
The plane, an ancient crate, tied up with string!
A Dominie they called it, seating seven.
But I was all alone save for my fears,
Fear of the darkening turbulence above,
Fear of the ultimate, the end of things,
Of dissolution, falling like a leaf
In autumn, severed from the tree of life,
A swift descent to earth......and dust to dust.
And then I saw the pilot step aboard,
Young, debonair, and on his uniform
The DFC and Bar. He turned and smiled,
That smile a peace-be-still to all the waves
Within my troubled mind. And suddenly,
Above the storm-tossed barrier-reef of cloud
We soared, and sailed into an endless sea
Of cerulean blue. The pilot turned
And smiled again, and found me smiling too.

DOCUMENTARY 1944

Ae fool November nicht, in smoocherin' rain,
This side the river Scheldt, young sergeant Hunt
An' me, the padre, thocht we'd tak a taik
T' see the lads on duty at the front.

'The boys will a' be gled' the sergeant said
(The place was kirkyaird quate, nae sowl in sicht)
T' see the padre, an' t' hear his wird,
On sic a mucky, sanguinary nicht.'

Then a' at aince, the nicht was bricht as day.
A thoosan shells cam binnerin' thro the mirk.
'Dinna be feart,' the sergeant said 'They're oors.
But div ye wish that ye were in your kirk?'

Syne smack upon the grun, nae yards awa,
A shell cam doon an' burst. The sergeant yelled
'Yons German guns. Rin for your very life.
An' coorie doon faur ye can fin' a bield.'

We ran like hunted hares, an' doon we flopped
Ahin a solid wa', me an' my mate,
An' there we lay an' niver gied a cheep
Till the stramash was ower an' a' thing quate.

An' nae til than did we ken faur we were,
I tell ye true, an' sure I am nae kiddin',
The 'solid wa', that saved us, life an' limb,
Was jist a common, reekin' fairmyaird midden!

A postscript I maun add, for truth to tell,
In a' that burstin', bleezin', burnin' hell,
We niver for a meenit felt the smell!

EVE OF BATTLE.....NOVEMBER 1944

That night a group of lads, a score maybe,
Came shyly to me with a strange request,
Or was it strange? Well, acting for the rest,
'Padre' their spokesman said 'Think you that we
Might of the Sacrament partake tonight?'
Could I refuse? So there by candlelight,
In darkened cellar, not an 'upper room,'
We shared Communion in the shadowy gloom.
The broken bread was passed from hand to hand,
The outpoured wine, served in the Common Cup,
Was drunk in silence by that little band.
And when at last they each did eat and sup,
All silently and thoughtfully they went away,
Knowing full well, within that very day,
The sacramental words that I had spoken
'This for you all is now My Body broken,
And this red wine, My Blood is shed for you'
Might well be said of them. Alas! 'twas true,
For ten of them their youthful lives did give.
I owe it to their dying that I live.
These lads I knew and loved, I see them yet,
And long as life shall last I'll ne'er forget
The Sacramental Service with the men
Who sacrificed their lives on Walcheren.

YESTERDAY OR YESTERYEAR?
CHRIST'S COLLEGE

Just yesterday I was a student here.
I can't be sure. Now, was it yesteryear?
If 'twas not yesteryear, then I have dreamed
Of strange things I have seen, and places been,
For dreams are strange. A distant tropic isle
Swims into view. Was I there so long a while,
For six, or was it seven dream-hazy years?
Dark clouds of war then drift across my sky.
Did I then play a chaplain's role, and why?
I had no courage or to do or die.
Yet have I, curious as it seems to me,
Four medals, though not one for gallantry,
Four, just to show I had been here and there
Where battle was, to serve if not to dare.
The war-clouds pass, so does the dream go on,
And peace I found among the hills anon,
With highland folks of quiet and gentle ways.
And then methinks, for twenty years (or days?)
I laboured in a town, with diligence
If not success, and was translated thence
Still dreaming, to a state that made me squirm,
Where I was designated 'Aged and Infirm!'
So all my energetic days are past,
All dreamed away from first to last.
And surely it was all a crazy dream, I fear,
And yesterday I was a student here.
Time cannot pass with such bewildering speed,
Or flowering youth so quickly go to seed.
Yet, strange as it may seem, if 'twas a dream,
This reverie of life has taught me much, I deem,
And left me wiser than I was, I trust
More tolerant, more humble, and more just.

These lines briefly outline the writer's career. A missionary in Jamaica for some years, a padre during the war, a minister in the Highlands, and latterly in the city.

SPRING

Och pit awa' your books my lass,
An' come ootbye wi' me.
The snaw-fite geans are a' in bloom,
The shinin' gowd is on the broom.
Lay doon your books, my bonnie lass,
An' come awa' wi' me.

Fit's the eese o' Greek or Latin?
Nane speaks them mair.
Jist close your books, my bonnie quine,
Come oot an' pit your han' in mine.
The Spring is in the air.
Come oot an' walk wi' me.

Horace and Homer baith are deid.
They canna hear or see
The laverock singin' high abeen.
My dear, fin a' is said an' deen,
Fit maitters a degree?
Och, come awa' wi' me.

The spring's a time that winna bide.
So come ye oot an' see
The livin' warl' as lang's its young,
Come oot lass, ere spring's sang is sung.
Lay by your books, my bonnie lass
An' come awa' wi' me.

LOVE STORY

He was echty five, she echty three.
Fairm-servants baith they'd been, hard vrocht I'se warn'.
Reid-cheekit was she still, some runkelt he.
A couthy pair, they'd clum ower mony a cyarn.

'Noo, if it's nae ill mainners, can I speer
Hoo you twa met' say I 'an' faur an' fan?'
Launchin' oot lood he said 'Och losh b' here,
There's naething tilt. I'll tell't as best I can.

Fin I was fee't at Cairnie, jist a loon,
Ae weenter's day, blin' drift it was an' deep.
I was trudgin' throw the sna' ootside the toon.
The win' was cauld, it fairly made ye creep.

Then a' at aince I saw this bonnie lass
Foonerin' in the sna', a boatie far fae lan'.
So I gangs up till her an' says. Noo dinna fash,
But in the circumstances will ye tak' my han'?'

'I'll dee that' she says. 'Weel div I mind.
She took my han' an' held it – so!
An' a' these saxty saiven years sin' syne,
She's niver, niver lat it go.'

POSTSCRIPT

The years gied by an' he was left his lane,
But by himself he couldna thole t' bide.
So noo, I'm sure, they're haudin' han's again,
Ayont the gloamin', on the ither side.

JEANNIE

I'm nae that auld, she said, Jist gettin' on.
I'm ninety three, or is it thirty nine?
Fit's figures, tyach! or birth certificates?
They've nocht ava t' dee wi' age. Na, na,
It's the speerit aye that keeps a body young.
An' so I think I maun be thirty nine.
I've nae eese for the English tongue ava.
It hasna got the wirds t' speak yer hert.
The Gweed Beuk's aricht in its wye I'm sure.
But gin it had been in the dialec'!
An' fit for no? They tell me, them that kens,
The Maister spak t' fowk in's mither tongue.
I think that it was Aramaic that they said.
An' noo, gin iver I get up abeen,
I howp they'll speak my mither tongue an' a',
Or else I winna, no I winna feel at hame.
If no, maybe the Lord will help me oot,
An' come an' tak me b' the han' an' say
'Jeannie, ye're welcome hame, come ben an' bide.
An' dinna fash aboot the wye ye speak,
It's rale hameower, an' I can unnerstan'.'

TAK TENT!

O Nancy was a licht-heeled quine,
A dab han' at the reel, O.
But easy kittlet, easy coortit,
Easy made a feel o'.

She fairly cowpit ower the creels,
An' noo has time t' grieve, O.
But lassies hae been siclike feels
Sin' the serpent gat roon Eve, O.

So lichtie damies, tak ye tent,
Bewaur the flattering chiel, O.
His wirds, his wiles an' his intent.
Are the stock-in-trade o' the deil, O.

THE MONA LISA

There she sits sae calmly smilin',
A' the centuries beguilin',
Her broon een fu' o' mystery.
Kenned she was makin' history?
Five hunner year hae runkled not
That smooth an' tranquil broo, nae spot
Or stain upon her bosom fair,
Nae greyin' o' the auburn hair.
Nae tear shall fa', ne'er shall she sorrow know,
Nor shade o' care bedim that gowden glow.
Her restfu' han's the restless years
Hae left untroublit. Nae trace appears
O' agin' on that bonnie face.
A' there is beauty, quietude an' grace.
But tell me Leonardo, prithee tell me,
Hoo did she smile sae hauntin'ly?
They say this masterpiece o' thine
Took fower year paintin', fower year o' time
T' paint what timeless will remain.
They say ye painted tae the strain
O' music playin' a' the while
Tae raise an' keep that hauntin' smile.
But, maybe, its source lay deeper.
Maybe thochts o' love did keep her
Still smilin' so. Fa noo can tell?
Ae thing is sure, that face a spell
Has cuist on men o' ivery age an' clime,
An' will dee till the ine o' time.

AUTUMN

What more revolting than the litter lout?
With bottles, packets, carry-outs and tins,
He thoughtlessly defiles our cleanly streets,
Oblivious of the waiting, empty bins.

But is not autumn guilty of this sin,
Strewing our gardens and our parks and roads
With summer's late discarded finery?
The poor street-orderly his barrow loads,
Bent to his endless herculean task.
Yet who would be without the scattered gold,
The crispy crunch of leaves beneath our feet,
The russet fire of catherine-wheels, the bold
Wild choreography of dancing leaves,
Directed by the vacillating wind?
So much we'd miss if autumn had no place
In Nature's calendar. She has not sinned
Who golden litter strews, that beautifies
Without despoiling it, the year's demise.

BABUSHKA

I have a wooden Russian doll, Babushka.
She is so very, very small, Babushka.
Yet if within her you may care to pry,
You'll find there more than meets the eye,
A doll within a doll concealed,
And still another doll revealed.

I think that I am such a fourfold being.
The outward man all other men are seeing,
And then, beyond that, is the man I know,
The image that I do not care to show,
A better man, perhaps, than most men see,
Yet far from being the man I want to be.

Then, in the uncharted regions of the mind,
A lurking, sub-conscious self I find,
A deep dark downness, and things long forgot,
That influence my life more than I wot.
Beyond that still, well hidden in the heart,
Lies yet another man, frustrated and apart,
Shut in by inhibition, fear and doubt,
That long has sought, and seeks, a clear way out,
The ultimate and very secret me,
My being's kernel, kin to deity,
The man God sees within the other three,
The winged creature in the chrysalis,
The saint within the sinner, born for bliss.
Someday I hope that this imprisoned me
Will burst its binding fetters and be free,
For than I'll be the man I ought to be.

GRANDCHILDREN

The house was orderly until they came,
But nothing after that was still the same.
You could trip on a tractor on the floor,
Find a tricycle behind the door.
And sometimes, halfway up the stair,
A lone, deserted teddy-bear:
And powder, surely meant for noses,
Strewn far and wide in liberal doses;
And cupboards all investigated,
And bath and bathroom inundated,
While impish shrieks would rend the air,
And laughter, laughter everywhere.

Now they're away, there's no more riot,
The house has gone most strangely quiet.
No more the sound of childish mirth,
A glory's vanished from the earth.
O God, who order made from chaos,
If You a compliment would pay us,
Reverse the order, Lord, and deign
To give us chaos back again!

BRIEF ENCOUNTER

The New Year met the Auld Year
Comin' oot the door.
'I dinna think' he says to him
'We've iver met afore'

'That's very true' the Auld Year said,
'An' this I surely ken,
In time to come, hooiver lang
We'll niver meet again'

'Weel I'll awa'' the Auld Year said
'Gweed luck to you my freen.
For noo the day is your day,
Sin' I had mine the streen'

'I tee maun gyang' the New Year said.
'Time's tuggin' at my han'.
You've deen your stint an' I'll dee mine,
The very best I can.'

An' so the tane gied up the road,
The tither, backlins, didna dally.
Meetin' an' pairtin's aye the same,
Its' Frater ave atque vale.

THE BONNIE THINGS

The year's awa', ach, lat it gyang,
An' tak wi't a' that's fause an' wrang,
The ill deeds vrocht b' evil men,
The ill words vreet wi' cankert pen,
The ill wirds spak that brak some hert,
Ill win's that cam fae ivery airt.
The years awa' an' a' the wrack o't,
An' I'se be gled tae see the back o'it.
Sae mony, mony fearfu' things, an' yet
Sae mony bonnie things we'll ne're forget,
The love that niver lat us doon, the joys
O bairnies lauchin', at their ploys,
The freen that helped us in the oor o' need,
The fire that warmed baith hoose an' hert, the breid
We niver winted for, uncommon courage
In ordinar' common fowk, in youth an' age,
The faith that kept men straucht an' true
In ivery rivin' win' that blew......
The year's awa', sae lat it gyang,
An' tak' wi't a' that's fause an' wrang.
But hing on tae the bonnie things, ma freen,
For man, fin a' is said an' deen,
These are the things that will prevail
Fin a' the pooers o' ill shall fail.

THE EMPORIUM

Auld Johnnie' shop was an emporium.
Nae supermarket iver stocked the things
That Johnnie kept, for he had iverything,
Floor an' blankets an' berry pans, ladies'
Sheen (the latest style), Old Moore's Almanac,
Sweeties an' barbit weer, an' dazzle beer,
Lang johns an' jeans an' larick palin' posts,
An' denner sets, an' Sunday suits o' serge.
There jist wis naething Johnnie didnae hae.
He boastit aboot that. But aince, jist aince
I catcht him oot. 'A pair o' pints' I said
Ae day. His answer fair bamboozlet me.

'O Willie man, I jist hae ae pair left,
An' if I wis t' sell them noo t' you,
I widnae hae anither pair t' sell
Till onybody else that comes in by.
I hope ye unnerstan'. I said I did!
But Johnnie's answer made me claw my croon.
I wunner gin he'll say the same thing
Tae someane else that wints a pair o' pints?
His logic fairly beesters me, I maun confess.
But yon's a man that kens his business!

NIGHT ENCOUNTER

The nicht was dreich an' dark as doom,
The meen was hid abeen.
Ye couldna see your very thoom
Afore your very een.
I niver met a livin' sowl,
Nor heard a livin' soun'.
There micht be ghosties on the prowl
So I niver lookit roun.
Syne a' at aince I heard a fit
Gang dunt upo' the road.
A misty shape cam' oot the pit,
I thocht it micht be Dod.
I spak his name as he slipped by
'Is that you, Doddie loon?'
'Na, na, fie na. Is that you Sannie Broon?'
'Na, na, my mannie, that's nae me.'
Nae mair was heard of a' o's.
That's queer, I thocht, as I gied on,
It wisna nane the twa o's!

THE GUESTHOOSE

This warld is a guesthoose for ane an for a'
Some jist bide for breakfast an syne win awa
Some bide for their denner an syne they are gone.
The auldest hae supper an gae west wi the sun.
As ma accoont tae them that leave early in the day.
Them that bide langest hae a big bill tae pay.

THE RIB

Aifter his op, did Adam complain,
Havin nae anaesthetic, o' terrible pain?
Nae a bit, for his loss was his gain......
A helpmeet, companion, a bonnie wee wife.
Whit price a rib for the best things in life?
As for Eve, her gain was enormous. This madam
Got life, a wonderful gairden and Adam.
What man sic a bargain could iver refuse?
A rib mair or less is naething to lose.

THE VICTIM

Afore street orderlies cam on the scene,
Auld Sam a simple scaffie lang had been.
He had ae faut, he was a lazy lad,
Aft tae be seen jist leanin on his spaud....
Ae day when he was stannin on the street,
He spied a snail, horns oot, richt at his feet
Doon cam his boot and crushed the innocent flat....
Ye silly slimy reptile, tak eye that.
These an some ither words, he was heard to say....
For ye've been followin me a' day....
Eh me, hoo mony innocent folk ootwith oor ken,
Are trodden doon by conscience stricken men.

A JUDGMENT

I speered ae day at Willie Broon
'Fit think ye o' that lawyer loon,
Noo practisin' in oor toon?
An' fit say ye aboot his wife?
She's certainly as large as life.'
Willie took his time, syne laucht
'Weel she's nae jist quite the Mona Lisa.
Him, he's like the leanin' too'er o' Pisa,
Mair than jist a thochtie aff the stracht.'

THE CONSOLER

Ae simmer's day young Will gied nestin' an the Craig,
A gweed twa mile fae hame, alane.
He wisna halfwye up fan doon he fell
An' gashed his leg, richt t' the bane.
Yet ne'er a whimper ga' he fan he saw the bleed,
Nor even drapped a singl' tear.
He limped the lang road hame 'imsel;
He'd get a row, that was his fear.
Fair frichtit was his mither fan she saw the wound,
An' as she bound it up said 'Will
Ye must have grat a lot fan ye got that!'
'No, mither, there was naebody t' greet till.'
Is it not good to know there's One to whom to turn,
Who'll understand our tears and soothe our pain,
Who'll bind our wounds and comfort our sad hearts,
And set us strengthened on the road again?

GEORDIE'S CROFT

Bograxie had been Geordie's craft, sin' guid kens fan.
He'd riven it fae the hill, wi' nae a livin' sowl
T' gie a han', a pick an' spawd his only tools.
Muckle rocks, and heather an' a rowth o' bracken,
Nane but the Lord will iver ken hoo hard
This peer man vrocht to clear an' till his lan,
Three acres o'it. An' syne, wi' his ain han's
A simple hoose he biggit wi' the very stanes
He'd ruggit fae the grun. An' there, a' b' himsel,
A coo forbye, he dwalt, nor envied ony man.
Spring watter at his door, an' sunrise on the hill,
He h'ard the laverock singin', heich abeen his heed,
Made freens wi' a' the livin' craiters roon aboot.
An' there he micht hae lived, content for a' his days.
But cam' the time fan legally it was declared,
The hill an' a' the lan', includin' Geordie's grun,
Belanged tae some rapacious laird; an' Geordie, noo
A deen auld man, had rent t' pey, that hit 'im hard.
Nae notice ta'en o' a' the wark he'd deen.
Ae day, fan he was weerin' on an' like t' dee,
The meenister clumb up t' see him. An' he spak
Aboot the life t' come, an' speert at him,
'What, Geordie, would you like in heaven above?'
'Ach, jist Bograxie at a raisonable rent.'
He spak nae mair. Jist then his sowl took flicht,
An' noo he has, o' this I'm certain sure,
A craftie till 'imsel, rent-free, for a' eternity.

THE SECRET

Noo Sammie was a simple chiel,
An' ae day it befell,
He chappit on his neebour's door,
He had great news to tell.
'The wife's jist had a bairnie, Will,
An' baith are doin' fine.
Noo, could ye guess richt filk it is,
A loonie or a quine?'
'Congratulations Sam, I think
The bairn maun be a lass'
'Na, Willie man, I doot ye're wrang,
Sae, hae anither guess.'
So Willie thocht baith deep an' lang,
'I guess then, it's a loon'
Puir Sam looked disappintet,
'Noo, fa has let me doon?
I thocht it was a secret, Will,
But some clype has forstalled me.
Hoo could ye be so certain sure
If someane hadna tauld ye?'
'Na, Sammie lad, I sweer t' ye,
For lees I niver tell,
Nae livin' sowl lat on t' me,
I thocht it oot masel.'

THE WATCHMAKER

My auld neep timepiece wisna gyaun jist richt.
I took it tae the watchie, twa doors doon.
A' roon aboot me in the shoppie, neth the licht,
A dizzen clocks were chimin', sic a soun'!
I chappit on the coonter, naeane cam'.
I rappit louder still, wi' nae response.
So syne I duntit hard an' cried oot 'Tam!'
Wi, that, the auld man, thro the transe,
Cam fae the back, an e're he gied a blink
Says I 'I thocht that naeane was at hame!'
'Johnnie' says he 'ye surely didna think
That a' these clocks were gaun jist b' their lane?'
Later that nicht, I scanned the star-strewn sky,
A glorious sicht, an' thocht on a' the gear
I couldna see or hear. Did Someane hear me cry
'Is onybody there? Foo did I speer?
Ahin the coonter o' the universe
I h'ard a voice say 'Noo, my bonnie loon'
(He mith hae been fae Buchan or fae Birse)
Think ye that a' these clockies a' aroon,
An' up abeen, are gaun jist b' themsels?'
Wi' a' my eddication, noo I see
Auld watchie is a wiser man than me.

FAITH

Ae Sunday Mary Jean was at the Kirk,
An' jist this aince she didna fa' asleep.
The sermon kept her waukent fae the start,
For, fan the meenister began t' threap,
She sat up stracht, an' heedit ivery wird.
The text fair took her fancy, 'For' said he,
'Faith can move mountains. Just you ask the Lord.
They'll disappear before your very eyes.'
Noo, fifty yards or so afore her hoose,
There stood a hill the Lord Himsel' had made.
'The meenister' she thocht 'wad niver tell a lee.
'I'll try it oot the nicht.' An' so she prayed
Wi' faith, a hale lang oor, syne aff T' bed.
Excitit, wunnerin' fit daylicht had brocht,
She lookit oot an' rubbit baith her een.
'Jist as I thocht' she said 'Jist as I thocht.
Ach weel, ach weel' she mummelt 'Onywye
I think that it was fairly wirth a try.
But neist time that the meenister comes here,
I'll tell'im till his face that he's a leear.'

NOW...............AND THEN

Jist fair dumfoonert was I fan I saw
The mairrige praisents that the quinie got,
Aething electrical, a furlygig
For washin' claes, a frigidaire, deep-freeze,
A televeesion, video (fit's that?)
A hoover, a polisher, a kettle, twa
Electric blankets, an' a braw machine
For shewin' wi', an' lots o' ither things.
She'll hae nae wark t'dee ava, thinks I.
Jist plug in here an'there an' a' things deen.
An' syne I thocht aboot my mither's things
She got for weddin' praisents, lang, lang syne,
A puckle sheets an' blankets, pots an' pans,
A scrubbin' brush, a scoorin' buird, a kist,
Some bowls an' plates, a muckle gran' braiss bed,
Oh aye, abiler and a berry pan.
'A'thing we nott' she said 'for 'ears t' come.'
'Oor freens an' neebours were sae gweed an' kind.
We hained an' scrimpt for a' the ither things.
We brocht up siven bairns, forbye fower dee't.
Did a' my wyvin' naething bocht but sheen.'
I wunner times, if character in a'
Oor progress, is noo fit it eest t' be,
If neth sae mony things t' mak oor burdens licht,
We've lat sae mony worthwhile things sink oot o' sicht.

TAM

Tam wis in the bothy packin's kist
Fan in cam Hilly wi' his glowerin' een.
'Is something wrang?' he said. 'If so, fit is't?'
There wis nae wird o' this the streen.'
'Jist that I'm leavin', aye this very nicht.'
'Ye're leavin' Tam, fegs surely ye've geen daft.
I wunner gin I'm hearin' richt.
Is it the wauges man? Noo, tell me straucht.
Is it the mait or something else that's wrang?'
'The wauges suit me fine, the mait an' a'.'
'Then losh be here, oot wi't afore ye gang.'
'Jist this' said Tam 'for thirty year an' twa
I've vrocht as cattlie, second horse an' grieve,
Forby a twa three year as orraman,
Ah' niver aince in a' that time, believe
Me, niver aince hiv ye said......Weel deen, Tam.'
So maisters a', fa' eer ye be, tak tent,
An' wi' the wauges, gie encouragement.

THE BLACKSMITH MUSES

I hae my doots aboot sae mony things.
I hae my doots hoo a' thing cam t' be,
The hale creatit warld, sun meen an' stars,
The sky, the birds the flooers, an' ilka tree.
I hae my doots aboot my origins,
I doot if yon chiel Darwin got it richt.
I hae my doots on faur we'll a' be gyaun.
Is there a sowl in ivery livin' wicht?
I micht be wrang, I canna jist be sure,
I hae my doots if Some ane up abeen
Is in control o' a'thing doon aneth,
Or if, like orphan bairns, we're a' wir lane.
Oh aye, I hae my doots baith here an' thereaboots,
But files man, files I hae my doots aboot my doots.

THE THREE ISAACS

I've had my thochts aboot them,
Whilk o' the three wid I like to be?
The billie i' the Bible o' that name?
I dinna think so. He had a time o't
Wi' that wife o' his an' their hairless loon,
Chaitin' a blin' auld man, fie on them baith.

Isaac Newton? He had a guid heed on him
Yon same lad, as weel acquant
Wi' the stars as if he'd been born
An' brocht up amo' them. A cliver chiel
But solitary, aye sailin' thro strange seas
O' thocht, alane. I widna liket that.
I'm fond o' company fin' I'm traivellin'.

So that leaves Isaac Walton, fisher lad,
Weel, angler onywye, compleat.
A fine contentit sowl,
Happiest sittin' by some burnie-side
Like Urie or the Gadie.
A rod, a tin o' worms, some cheese an' breed,
Fit mair noo does a body need.
An' catch a troot or twa afore the sun gangs doon?
Oh aye, o' a' the three, Walton's my man.
Fa' kens, upbye I'll meet him in the heavenly ha'
An' we'll swap stories o' the anes that got awa'.

RETIREMENT

The country chiel had had aneuch
O' ploos an' coos an' calvin'.
He biggit himsel a cantie bield,
An' ca'd it eh? Duntyauvin.

The meenister for forty years
Was lookin' for a haven.
An' auld deen manse he had restored
An' ca'd it, aye, Dunraven.

The lawyer had his fill o' life,
Deed tired an' near t' sobbin'.
He built a hoose withoot the law,
An' ca'd it, weesht! Dunrobin.

The traiveller, a weary man
Sat thinkin' in life's gloamin',
'I'll big a shelter tae mysel,
An' name it weel, Dunroamin.

Scunnert wi' fowk, the merchant man
Fae the rat race ran awa',
Pit up a placie in the hills
Carved on his gate, Awafaeta.

OVERHEARD AT THE MART

'I hear that Scuttrie left ten thoosan pown,
A fair gweed fortin ony gait.'
'Aye, but Scuttrie didna leave it man,
Na, he was pairtet fae't.'

'But h'ard ye fit Tam Wilson left?
Ye mind, he eest t' blaw
Aboot the bawbees he wid leave.'
'Aye, an' he left it a'.'

'Ye're wirth a bit yersel, eh Mains? But mind
Ye canna tak' it wi' ye man.'
'Gin that's the case, I'll tell ye noo,
I winna gang.'

R.I.P.

(On an old man met in the Aberdeen lodging-house)

'George Smith, born 1860, died 1948,'
Just that, cut roughly on the simple stone.
Forgotten? No, I remember him, I alone.
He was unforgettable once met.
Of middle height, raw-boned, I see him yet:
A cartographic face, with criss-cross lines
Of lassitude and languitude, a map with signs,
A guide to his unwritten odyssey,
The tale he briefly told to me,
His blue eyes looking far back into time:
A private in the war against the Boers, langsyne,
Then twenty years before the mast
On all the seven seas,
Ten years of whaling in the deepest south,
Prospecting in the Yukon (in his youth)
Lone hunter then, wolf, fox and caribou,
Then home for good, the land he scarcely knew.
Home, did I say? No relatives, no friends.
For good? Or ill perhaps, for what is 'good?'
For him a doss-house, alone with other loners.
Anf there he quietly died, no flowers, no mourners.
His tale unchronicled until today.
George Smith, where born? I do not know,
He did not say. And soon the moss will grow
And hide his name, as now the earth hides him.
The rest is silence, and his past is dim.

A RESOLUTION

I'm oot o' touch wi' the risin' o' the sun
Fa eest t'be up aye at the skreek o' day.
Nae langer div I think it ony fun
Tae clam'er up a fairly easy brae.
Even on simmer days I feel the cauld
Noo, can it be that I am growin' auld?

Nae langer can I loup the Gadie burn,
Nor dive off yon high rock into the pool.
I'm niver sure noo fit I learnt at school.
Weel-a-wyte, upon my weary saul,
I doot, I doot, I maun be growin' auld.

Eneuch o' this o' fit I canna dee,
Eneuch o' lookin' back across the years.
Fit aince I was, I mean aince mair tae be.
The things I did, I'll dee again, nae fears.
I'll loup the Gadie burn tho I fa' in,
Fin' temptit jist tae walk, I'll rin.
I'll climb the Mither Tap, even if I crawl,
Startin' the morn I'll show tae one and all,
I've nae intention yet o' growin' auld!

TIME

Time taks langer strides fin we grow aul'er.
Days that aince were caul', a thochtie caul'er.
The bonnie days for which we eest t' yearn,
Gang by as fest as thread rins aff a' pirn.

The braes we clammered up fin we were swack,
Are mountains noo, a birn upon oor back.
The bairns fin we were bairns are bairns nae mair,
But men an' weemin a' wi' greyin' hair.

Could that be Jeemsie that I met the streen,
Aince ootside richt in oor gran' fitba team?
An' that, yon bonnie lassie Jeannie Ann
I saw, A pension-beukie in her han'?

Ach, fit dist maitter gin the sang be sung
If blithe's the speerit an' the hert is young?
The past is past, aheed we canna see,
But I believe the best is yet to be.

AULD AGE

Auld age is nae a welcome guest.
He niver comes his lane,
A curn o' troubles in his kist
That gang against the grain
He brings, an' lays them at your door,
An' syne comes in to bide.
Fae sic a surly veesitor
I fain wad gang an' hide.
Ae sure wye o' chaithin' him
Is t'dee afore ye're auld.
But I've thocht up anither plan
T' leave him in the cauld.
Fin he comes by an' rings oor bell,
I'll warn my worthy dame
To say to this unwelcome chiel
'My guidman's nae at hame.'

PROPHECY

'Ivery singl' hill will bedung doon,
An' ivery singl' glen full't up an' a' – –'
So spak' the prophet, nae doot wi' a froon.
But sirs, that widna dee wi' me at a'
Nae hills left t'climb on simmer days?
Nae corries in the weenter, deep in sna'?
Jist a' flat grun', nae hawes, nae braes?
Na fegs man, na, that widna dee at a'.'

'There shall be nae mair sea!' anither says.
Nae sea, nae shore, nae boaties under sail?
Nae glints, o' sunlicht dancing on the waves?
Nae skirlin' seagulls glidin' on the gale?
Nae sauty breeze thro' a' eternity?

Na, sirs, that widna dee at a' wi' me
An' only Hallelujahs will be heard
In that braw warld we someday hope t' see?
Nae stirrin' auld Scots Psalms to praise the Lord?
Oh, sirs that widna dee at a' for me.
But I believe the things we've liket best,
The hills, the glens, the gran' auld Psalms, the sea,
Will hae their place in Paradise the blest,
Then that will be the very lan' for me.

VERSES FROM PARAPHRASE 48

If a' men were oor enemies,
Maun we jist rin an' hide?
Fit maitters fa's against us, freens,
Gin God be on oor side?

Fa then can iver pairt us mair
Fae Him that lo'es sae weel?
Is He nae risen fae the deid,
An' on us set His seal?

So there's nae ill can twine us noo,
Nae dool nor empty buird,
Nae poortith, na, nor nyauketness,
Nae fearsomeness nor swoord.

Aye, certain sure we a' can be
That daith nor yet the deil,
Can iver rive us fae His hairt,
That lo'es us a' sae weel.

For nae a thing in a' the warld
Has ony poo'er to sever
The Lord's ain bairnies fae His love,
We're in His han's foriver.

Glossary

Airt	Direction
Beester	To puzzle
Braiss	Brass
Biler	Boiler
Backlins	Backwards
Birn	Burden
Blin drift	Driving snow
Bide	Stay
Binnerin	Rushing
Bield	Shelter, house
Buird	Board, table
Birlin	Spinning
Ben	Hill
Bourdon	A low pitched stop in organ
Bothy	Farmservant's accommodation
Cantie	Small and neat
Cattlie	Cattleman
Chaitin	Cheating
Chappit	Knocked
Clum	Climbed
Chiel	Fellow
Clype	Tell-tale
Cowpit	Overturned
Coorie doon	Cower
Craiter	Creature
Curn	Quantity
Cyarn	Cairn
Dazzle	General name for lemonade
Damies	Girls
Dab han	Skilled
Dachelt	Let up
Deen	Done
Docken	Dock
Dool	Sorrow, misfortune
Dingin on	Of snow falling heavily
Dreaich	Dreary, dull
Dumfoonert	Dumfounded
Dunt	Knock hard
Dwalt	Dwelt
Easins	Eaves
Eest	Used to
Fash	Trouble
Farlin	Trough with herring to be gutted
Fause	False
Fee't	Hired
Fecht	Fight
Files	Whiles
Filk	Which
Flicht	Flight
Foon	Foundations
Foonerin	Foundering
Focht	Fought
Forbye	Besides
Forrit	Forward, ahead
Fortin	Fortune
Frichtit	Frightened
Furhooiet	Abandoned
Frater atque Vale	Hail brother and farewell

Gowd	Gold
Gowden	Golden
Garioch	Area taking in 13 Aberdeenshire parishes
Gin	If
Grat	Wept
Guid Beuk	Good Book, Bible
Gyang	Go
Hained	Saved
Hameower	Homely
Hard vrocht	Hard worked
Haud	Hold
Heich	High
Hing on	Hold on
Kittlet	Tickled
Kist	Trunk
Larick	Larch
Laverock	Lark
Lad	Sweetheart
Leen	Alone
Litchie	Light headed
Leear	Liar
Mait	Food
Maun be	Must be
Meen	Moon
Mirk	Gloom
Mummet	Muttered
Neap watch	Old fashioned watch in hinged case
Nott	Needed
Nyauketness	Nakedness
Oor	Hour
'Or lang	Before long
Orraman	Odd job man
Pension-beukie	Pension book
Pey	Pay
Pints	Laces
Poortith	Poverty
Quate	Quiet
Reeshle	Loose heap (of stones)
Rowth	Plenty
Ruck	Rick
Runklet	Wrinkled
Sang	Expletive
Samen	Same
Schuss	Straight down-hill run on skis
Scunnert	Disgusted
Scrat	Scratch
Scoorin buird	Scrubbing board
Scrimpt	Stinted
Smoocherin	Fine rain
Soord	Sword
Soun an' roun	Soundly
Sort	Mend
Sonsie	Buxom
Shewin	Sewing
Spawd	Spade
Speer	Ask
Stramash	Uproar

Talk	Stroll, saunter
Thoom	Thumb
Thochtie	Very little
Thole	Bear
Toon	Farm steading
Threap	Insist firmly
Traiveller	Commercial traveller
Transe	Passage in a house
Twine	Sever
Tyach	Exclamation of impatience
(I'se) war'n	Warrant
Wauges	Wages
Wicht	Person
Wiskar	Sheath used in knitting
Weemplin an' wamplin	Turning and twisting
Wyes	Ways
Wyvin'	Knitting
Vratch	Wretch
Vreet	Written

THE CHARLES MURRAY MEMORIAL TRUST
1988